Garfield

LE VALENTIN SECRET

Écrit par Scott Nickel
Illustré par Gary Barker, Larry Fentz et Tom Howard
Présenté par Kenny Gœtzinger et Brad Hill

Garfield est une création de

JiM DAViS

Copyright © 2006 PAWS, Inc. Tous droits réservés. www.garfield.com
Garfield et les autres personnages Garfield sont des marques déposées ou non déposées de Paws inc.

Publié par **Presses Aventure,** une division de **Les Publications Modus Vivendi inc.**
5150, boul. Saint-Laurent, Montréal (Québec) Canada H2T 1R8

Version française : Catherine Girard-Audet
Dépôt légal, 1er trimestre 2006 Bibliothèque nationale du Québec Bibliothèque nationale du Canada

ISBN : 2-89543-383

Nous reconnaissons le soutien financier du gouvernement du C
au développement de l'industrie de l'édition (PAD)

Gouvernement du Québec – Programme de crédit d'impôt p   Gestion SODEC

C'était le jour de la Saint-Valentin.

 courut vers la .

« m'a peut-être envoyé

une , ou un  ou

des », dit .

 ouvrit la . Elle était vide.

« Ça ne me surprend pas », dit .

retourna vers la maison. Il y

avait un et une

déposés sur les . Le

provenait du valentin secret

de .

ouvrit le . C'était

un gros morceau de .

« Des sucreries pour un cœur

tendre », dit .

Il avala le en trois grosses

bouchées.

Gulp ! Gulp ! Gulp !

GULP!
GULP!
GULP!

et allèrent jouer

à l'extérieur. 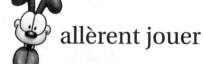 lança un .

dans les .

« Va chercher ! » dit-il.

 courut et revint.

Mais il ne revint pas avec le .

Il revint avec un .

ouvrit le .

C'était un gros de la part du

valentin secret de .

« Je suis d'humeur pour ces

douceurs ! » dit .

Il avala tout le en

trois grosses bouchées.

Munch ! Munch ! Munch !

Quelqu'un frappa à la

de la maison de .

« Je parie qu'il s'agit d'un

de la part de *mon* valentin secret »,

dit  .

Il ouvrit la porte.

Un  tendit une à .

Une  se trouvait à l'intérieur.

Mais  n'avait pas commandé

de  .

La était pour .

C'était de la part de son valentin

secret.

« Extra fromage ! dit .

C'est ma préférée. »

 avala toute la en

trois grosses bouchées.

Chomp ! Chomp ! Chomp !

« Toute cette nourriture m'a donné

envie de dormir », dit .

 marcha vers son .

Il trouva un sous sa .

Le avait été offert par le valentin

secret de .

 avala tout le en

trois grosses bouchées.

Miam ! Miam ! Miam !

Quelqu'un frappa à la .

C'était . Elle avait une

pour , un pour

 , et une pour .

« Merci beaucoup », dit .

« Wouf ! » dit .

« Elle n'a rien à manger ? » dit .

« Es-tu le valentin secret de

 ? » demanda .

« Non, je ne le suis pas », dit .

Qui est donc le valentin secret de

 ?

se regarda dans le .

« Salut, valentin secret », dit

 . Mais bien sûr !

Qui peut aimer plus

que lui-même ?

Joyeuse Saint-Valentin !

As-tu bien repéré toutes les images se trouvant dans l'histoire du valentin secret de Garfield ?

Pour t'aider, chaque image se trouve sur une carte. Demande à un(e) adulte de découper ces cartes, puis essaie de lire les mots écrits au verso. Les images seront tes indices.

Garfield	Jon
boîte aux lettres	Odie
fleurs	Liz

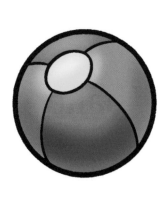

carte	cadeau
balle	os
marches	lettre

boîte	chocolat
buissons	bâton
porte	biscuit

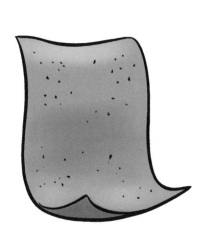

pizza	garçon
couverture	lit
miroir	gâteau